Il libro di ricette per frullati per principianti

50 ricette di frullati

Jennifer Abrahams

Tutti i diritti riservati.

Disclaimer

Le informazioni contenute in i intendono servire come una raccolta completa di strategie sulle quali l'autore di questo eBook ha svolto delle ricerche. Riassunti, strategie, suggerimenti e trucchi sono solo raccomandazioni dell'autore e la lettura di questo eBook non garantisce che i propri risultati rispecchieranno esattamente i risultati dell'autore. L'autore dell'eBook ha compiuto ogni ragionevole sforzo per fornire informazioni aggiornate e accurate ai lettori dell'eBook. L'autore e i suoi associati non saranno ritenuti responsabili per eventuali errori o omissioni involontarie che possono essere trovati. Il materiale nell'eBook può includere informazioni di terzi. I materiali di terze parti comprendono le opinioni espresse dai rispettivi proprietari. In quanto tale, l'autore dell'eBook non si assume alcuna responsabilità per materiale o opinioni di terzi.

SOMMARIO

INTRODUZIONE

Una ricetta per frullato è una bevanda a base di frutta e / o verdura cruda frullata, utilizzando un frullatore. Un frullato ha spesso una base liquida come acqua, succo di frutta, latticini, come latte, yogurt, gelato o ricotta.

1 FRULLATO DI ANANAS ALLA MENTA

INGREDIENTI

- ❖ 200 g di ananas, sbucciato, privato del torsolo e tagliato a pezzi

- ❖ lasciano alcune mentine

- ❖ 50 g di spinaci baby in foglie

- ❖ 25 g di avena

- ❖ 2 cucchiai di semi di lino

- ❖ una manciata di anacardi non salati e non tostati

- ❖ succo di lime fresco, quanto basta

ISTRUZIONE

1. Mettere tutti gli ingredienti in un frullatore con 200 ml di acqua e frullare fino a ottenere un composto omogeneo. Se è troppo denso, aggiungi altra acqua (fino a 400 ml) fino ad ottenere la giusta miscela.

2. CIOTOLA PER FRULLATO ARCOBALENO VERDE

INGREDIENTI

- ❖ 50 g di spinaci

- ❖ 1 avocado, snocciolato, sbucciato e tagliato a metà

- ❖ 1 mango maturo, snocciolato, sbucciato e tagliato a pezzi

- ❖ 1 mela, privata del torsolo e tagliata a pezzi

- ❖ 200 ml di latte di mandorle

- ❖ 1 frutto del drago, sbucciato e tagliato a pezzi uguali

- ❖ 100 g di frutti di bosco (abbiamo usato fragole, lamponi e mirtilli)

ISTRUZIONI

1. Mettere gli spinaci, l'avocado, il mango, la mela e il latte di mandorle in un frullatore e frullare fino a ottenere un composto omogeneo e denso. Dividi tra due ciotole e aggiungi il frutto del drago e le bacche.

3. CIOTOLA PER FRULLATO TROPICALE

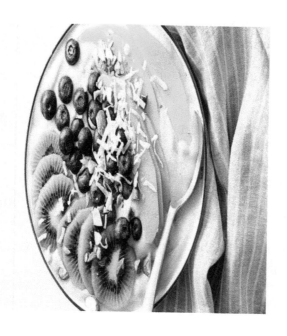

INGREDIENTI

- ❖ 1 mango maturo piccolo, snocciolato, sbucciato e tagliato a pezzi

- ❖ 200 g di ananas, sbucciato, privato del torsolo e tagliato a pezzi

- ❖ 2 banane mature

- ❖ 2 cucchiai di yogurt al cocco (non yogurt al cocco)

- ❖ 150 ml di latte da bere al cocco

- ❖ 2 frutti della passione, tagliati a metà, semi raccolti

- ❖ una manciata di mirtilli

- ❖ 2 cucchiai di fiocchi di cocco

- ❖ qualche foglia di menta

ISTRUZIONI

1. Metti il mango, l'ananas, le banane, lo yogurt e il latte di cocco in un frullatore e frulla fino a ottenere un composto omogeneo e denso. Versare in due ciotole e decorare con il frutto della passione, i mirtilli, i fiocchi di cocco e le foglie di menta. Si conserva in frigo per 1 giorno. Aggiungere i condimenti appena prima di servire.

4. CIOTOLA PER FRULLATO ALLA CURCUMA

INGREDIENTI

- ❖ 10 cm di curcuma fresca o 2 cucchiaini di curcuma macinata

- ❖ 3 cucchiai di yogurt al latte di cocco (abbiamo usato Co Yoh), o la panna scremata dalla parte superiore del latte di cocco in scatola

- ❖ 50 g di avena senza glutine

- ❖ 1 cucchiaio di burro di anacardi (o una manciata di anacardi)

- ❖ 2 banane, sbucciate e tritate grossolanamente

- ❖ ½ cucchiaino di cannella in polvere

- ❖ 1 cucchiaio di semi di chia o noci tritate, per servire

ISTRUZIONE

1. Sbucciare la radice di curcuma, se utilizzata, e grattugiare. Mettere tutti gli ingredienti in un frullatore con 600 ml di acqua e frullare fino a ottenere un composto omogeneo. Servire in una ciotola con i semi di chia o delle noci tritate cosparse.

5. FRULLATO CREMOSO DI MANGO E COCCO

INGREDIENTI

❖ 200 ml (½ bicchiere alto) di latte di cocco (abbiamo usato Kara Dairy Free)

❖ 4 cucchiai di yogurt al latte di cocco (abbiamo usato Coyo)

❖ 1 banana

❖ 1 cucchiaio di semi di lino macinati, girasole e semi di zucca (abbiamo usato quello di Linwood)

❖ 120 g (¼ di sacchetto) pezzi di mango congelati

❖ 1 frutto della passione, per finire (opzionale)

ISTRUZIONE

1. Misura tutti gli ingredienti o usa un bicchiere alto per accelerare: non devono essere esatti. Metterli in un frullatore e frullare fino a che liscio. Versare in 1 bicchiere alto (ne avrete abbastanza per un rabbocco) o due bicchieri corti. Taglia il frutto della passione a metà, se lo usi, e raschia i semi sopra.

6. FRULLATO DI BACCHE ECCELLENTI

INGREDIENTI

❖ Sacchetto da 450 g di frutti di bosco congelati

❖ 450 g di yogurt alla fragola senza grassi in vaso

❖ 100 ml di latte

❖ 25 g di porridge d'avena

❖ 2 cucchiaini di miele (facoltativo)

ISTRUZIONE

1. Montare i frutti di bosco, lo yogurt e il latte con un frullatore a immersione fino a ottenere un composto omogeneo. Mescolare la polenta d'avena, quindi versarla in 4 bicchieri e servire con un filo di miele, se ti piace.

7 FRULLATO DI MORE E BARBABIETOLE

INGREDIENTI

- ❖ 250 ml di acqua di cocco
- ❖ un pizzico di cannella in polvere
- ❖ ¼ di cucchiaino di noce moscata macinata
- ❖ Zenzero fresco da 4 cm, sbucciato
- ❖ 1 cucchiaio di semi di canapa sgusciati
- ❖ 2 barbabietole piccole cotte, tritate grossolanamente
- ❖ una manciata di more
- ❖ 1 pera, tritata grossolanamente
- ❖ piccola manciata di cavoli

ISTRUZIONE

1. Aggiungi l'acqua di cocco al tuo frullatore con le spezie e lo zenzero fresco. Aggiungere gli ingredienti rimanenti e frullare fino a ottenere un composto omogeneo. Aggiungi più liquido se preferisci una consistenza più sottile. Versare nei bicchieri e servire.

8. FRULLATO BOOSTER VITAMINICO

INGREDIENTI

- ❖ 1 arancia, sbucciata e tritata grossolanamente

- ❖ 1 carota grande, sbucciata e tritata grossolanamente

- ❖ 2 gambi di sedano, tritati grossolanamente

- ❖ 50 g di mango, tritato grossolanamente

- ❖ 200 ml di acqua

- ❖ Metodo

ISTRUZIONE

1. Mettere tutta l'arancia, la carota, il sedano e il mango nel frullatore, rabboccare con acqua, quindi frullare fino a che liscio.

9 CUBETTI DI FRULLATO DI MIRTILLI

INGREDIENTI

- ❖ more

- ❖ fragole

- ❖ lamponi, frutto della passione

- ❖ Mango

- ❖ qualsiasi altro frutto che ti piace

ISTRUZIONE

1. Frulla un frutto (prova more, fragole, lamponi, frutto della passione e mango, in un robot da cucina, lascia i semi o al setaccio.

2. Congelare in vaschette di ghiaccio pronte per essere montate (3 per porzione) con una banana, 150 ml di yogurt bianco e latte e miele a piacere.

10 FRULLATO DI PESCA E MELBA

INGREDIENTI

- ❖ 410 g possono metà pesca

- ❖ 100 g di lamponi congelati, più alcuni per guarnire

- ❖ 100 ml di succo d'arancia

- ❖ 150 ml di crema pasticcera fresca, più un cucchiaio per guarnire

ISTRUZIONE

1. Scolare e sciacquare le pesche e metterle in un frullatore con i lamponi. Aggiungere il succo d'arancia e la crema pasticcera fresca e frullare insieme.

2. Versare sopra il ghiaccio, guarnire con un altro cucchiaio di crema pasticcera e qualche lampone. Va servito freddo.

11 FRULLATO DI BANANA, CLEMENTINE E MANGO

INGREDIENTI

- ❖ circa 24 succose clementine, più una extra per la decorazione

- ❖ 2 mango piccoli, molto maturi e succosi

- ❖ 2 banane mature

- ❖ 500 g di latte intero o yogurt magro

- ❖ una manciata di cubetti di ghiaccio (facoltativo)

ISTRUZIONE

1. Taglia a metà le clementine e spremi il succo: dovresti avere circa 600 ml / 1 pinta. (Questo può essere fatto la sera prima.) Sbucciare i manghi, affettare la frutta dal nocciolo al centro, quindi tagliare la polpa a pezzi grossolani. Pelare e affettare le banane.

2. Mettere il succo di clementine, la polpa di mango, le banane, lo yogurt e i cubetti di ghiaccio in un frullatore e frullare fino a ottenere un composto omogeneo. Versare in sei bicchieri e servire. (Potrebbe essere necessario farlo in due lotti, a seconda delle dimensioni del frullatore.) Se non si aggiungono cubetti di ghiaccio, raffreddare in frigorifero fino al momento di servire.

12 FRULLATO DI AÇAÍ

INGREDIENTI

❖ 100 g di polpa di açai cruda, congelata, non zuccherata, scongelata

❖ 50 g di ananas congelato

❖ 100 g di fragole

❖ 1 banana media

❖ 250 ml di mango o succo d'arancia

❖ 1 cucchiaio di nettare di agave o miele

ISTRUZIONE

1. Metti tutti gli ingredienti nel frullatore o in un robot da cucina. Frulla fino a ottenere un composto omogeneo. Se è troppo denso, aggiungi un po 'più di mango o succo d'arancia. Servire in 2 bicchieri alti.

13. FRULLATO DI MANGO E FRUTTO DELLA PASSIONE

INGREDIENTI

- ❖ 400 g di mango maturo sbucciato e tritato
- ❖ 2 vasetti da 125 g di yogurt al mango senza grassi
- ❖ 250 ml di latte scremato
- ❖ succo di 1 lime
- ❖ 4 frutti della passione, dimezzati

ISTRUZIONE

1. Sbatti il mango, lo yogurt e il latte in un frullatore fino a ottenere un composto omogeneo. Incorporare il succo di lime, quindi versare in 4 bicchieri. Versare la polpa di un frutto della passione in ognuno e mescolare prima di servire.

14. FRULLATO DI FRUTTA DI BOSCO E BANANA

INGREDIENTI

- ❖ frutti di bosco congelati
- ❖ banana, a fette
- ❖ frutti magri dello yogurt di bosco

ISTRUZIONE

1. Whiz frutti di bosco congelati e banana a fette in un robot da cucina con frutti di bosco a basso contenuto di grassi dello yogurt di bosco.

15 GELATINE FRULLATE CON GELATO

INGREDIENTI

- ❖ 6 fogli di gelatina in fogli

- ❖ 1l bottiglia di frullato di arancia, mango e frutto della passione (abbiamo usato Innocent)

- ❖ Per servire

- ❖ Gelato alla vaniglia di buona qualità in vaschetta da 500 ml come Green & Black (potresti non aver bisogno di tutto)

ISTRUZIONE

1. Mettere la gelatina di foglie in una ciotola e coprire con acqua fredda. Lasciare agire per alcuni minuti fino a quando non sarà morbido e floscia. Nel frattempo, scaldare delicatamente il frullato in una casseruola senza far bollire. Togli il fuoco. Sollevare la gelatina dall'acqua, strizzare l'acqua in eccesso, quindi aggiungerla nella padella per frullato. Mescolare bene fino a che liscio, quindi versare in 12 stampi, pentole o bicchieri, oppure utilizzare 24 pentole delle dimensioni di un bicchierino. Lasciar raffreddare per almeno 1 ora per impostare.

2. Per mini palline di gelato perfette, immergere un cucchiaio dosatore in una tazza di acqua calda, quindi scrollarsi di dosso l'eccesso. Raccogli il gelato immergendo ogni volta il cucchiaio nell'acqua calda. Servire ogni gelatina

di frullato ricoperta di gelato.

16) FRULLATO DI BANANA, MIELE E NOCCIOLE

INGREDIENTI

- ❖ 1 banana sbucciata e affettata
- ❖ 250 ml di latte di soia
- ❖ 1 cucchiaino di miele
- ❖ un po 'di noce moscata grattugiata
- ❖ 2 cucchiaini di nocciole tritate, per servire

ISTRUZIONE

1. Frulla la banana con il latte di soia, il miele e un po 'di noce moscata grattugiata fino a ottenere un composto omogeneo. Versare in due bicchieri grandi e guarnire con le nocciole tostate e tritate per servire.

17) SUPER-SHAKE PER LA COLAZIONE

INGREDIENTI

- ❖ 100 ml di latte intero
- ❖ 2 cucchiai di yogurt naturale
- ❖ 1 banana
- ❖ 150 g di frutti di bosco congelati
- ❖ 50 g di mirtilli
- ❖ 1 cucchiaio di semi di chia
- ❖ ½ cucchiaino di cannella
- ❖ 1 cucchiaio di bacche di goji
- ❖ 1 cucchiaino di semi misti
- ❖ 1 cucchiaino di miele (idealmente Manuka)

ISTRUZIONE

1. Mettere gli ingredienti in un frullatore e frullare fino a che liscio. Versare in un bicchiere e buon appetito!

18 LATTE DI MANDORLA

INGREDIENTI

❖ 150 g di mandorle intere

ISTRUZIONE

1. Mettete le mandorle in una ciotola capiente e coprite con acqua, quindi coprite la ciotola e lasciate in ammollo per una notte o per almeno 4 ore.

2. Il giorno successivo, scolare e sciacquare le mandorle, quindi versarle in un frullatore con 750 ml di acqua fredda. Frusta fino a che liscio. Versare il composto in un colino rivestito di mussola su una caraffa e lasciarlo sgocciolare. Mescola delicatamente il composto con un cucchiaio per velocizzare il processo.

3. Quando la maggior parte del liquido è passata nella caraffa, raccogli i lati della mussola e strizzala con entrambe le mani per estrarre l'ultima parte del latte.

19.FACILE TORTA AL CIOCCOLATO FONDENTE

INGREDIENTI

- ❖ 150 ml di olio di semi di girasole, più un extra per la latta

- ❖ 175 g di farina autolievitante

- ❖ 2 cucchiai di cacao in polvere

- ❖ 1 cucchiaino di bicarbonato di sodio

- ❖ 150 g di zucchero semolato

- ❖ 2 cucchiai di sciroppo dorato

- ❖ 2 uova grandi, leggermente sbattute

- ❖ 150 ml di latte parzialmente scremato

Per la glassa

- ❖ 100 g di burro non salato

- ❖ 225 g di zucchero a velo

- ❖ 40 g di cacao in polvere

- ❖ 2½ cucchiai di latte (un po 'di più se necessario)

ISTRUZIONE

1. Riscaldare il forno a 180 ° C / 160 ° C ventola / gas 4. Oliare e rivestire la base di due teglie per sandwich da 18 cm. Setacciare la farina, il cacao in polvere e il bicarbonato di sodio in una ciotola. Aggiungere lo zucchero semolato e mescolare bene.

2. Fare una fontana al centro e aggiungere lo sciroppo dorato, le uova, l'olio di semi di girasole e il latte. Sbatti bene con una frusta elettrica fino a ottenere un composto omogeneo.

3. Versare il composto nelle due teglie e cuocere per 25-30 minuti fino a quando non è lievitato e si rassoda al tatto. Sfornare, lasciare raffreddare per 10 minuti prima di disporli su una griglia.

4. Per fare la glassa, sbattere il burro non salato in una ciotola fino a renderlo morbido. Setacciare gradualmente e sbattere lo zucchero a velo e il cacao in polvere, quindi aggiungere abbastanza latte per rendere la glassa spumosa e spalmabile.

5. Infila le due torte insieme alla glassa al burro e ricopri i lati e la parte superiore della torta con altra glassa.

20. FAUX GRAS CON PANE TOSTATO E SOTTACETI

INGREDIENTI

- ❖ 100 g di burro, ammorbidito
- ❖ 300 g di fegatini di pollo o anatra biologici, mondati, puliti e asciugati

Per servire

- ❖ brioche a fette o lievito naturale
- ❖ Cornichons
- ❖ chutney
- ❖ fiocchi di sale marino

ISTRUZIONE

1. Scaldare 50 g di burro in una padella finché non sfrigola, aggiungere i fegatini e friggere per 4 minuti fino a quando si colorano all'esterno e leggermente rosa al centro. Lasciar raffreddare, quindi versare il contenuto della padella in un robot da cucina o in un frullatore. Condite generosamente di sale e aggiungete il burro rimasto. Frullare fino ad ottenere una purea omogenea, quindi raschiare in un contenitore, lisciare la parte superiore e riporre in frigorifero a raffreddare per almeno 2 ore. Può essere fatto un giorno prima.

2. Per servire, grigliare fette di brioche o lievito naturale e versare alcuni cetriolini e chutney in

pentolini. Metti un cucchiaio grande in una tazza di acqua calda. Come se servissi il gelato, versa un cucchiaio di faux gras su ogni piatto, immergendo il cucchiaio nell'acqua dopo ogni misurino. Cospargere alcuni fiocchi di sale su ogni misurino e servire con i toast, i cetriolini e il chutney.

21. FRULLATO DI ACAI AI FRUTTI DI MIRTILLO

INGREDIENTI

- ❖ pacchetto di oz acai congelato
- ❖ 1 banana
- ❖ 1 tazza di fragole
- ❖ 3/4 tazza di latte di mandorle o di anacardi

ISTRUZIONI

1. Aggiungi tutti gli ingredienti a un frullatore ad alta potenza e frulla fino a che liscio.

22 SMOOTHIE VERDE POST ALLENAMENTO

INGREDIENTI

- ❖ 2 tazze di acqua filtrata
- ❖ 2 tazze di spinaci baby
- ❖ 1 banana, affettata e congelata
- ❖ 1 mela verde
- ❖ 1/4 di avocado
- ❖ 2 cucchiai di collagene in polvere
- ❖ 2 cucchiai di proteine in polvere
- ❖ 2 cucchiai di semi di chia

ISTRUZIONI

1. Metti tutti gli ingredienti in un frullatore ad alta potenza.

2. Frullare per 30 secondi o fino a ottenere un composto omogeneo.

23. FRULLATO DI PERSIMMON PICCANTE

INGREDIENTI

- ❖ 2 cachi Fuyu maturi
- ❖ 1 banana, congelata
- ❖ 1 tazza di latte di mandorle, latte di anacardi o un altro latte di noci
- ❖ 1/4 cucchiaino di zenzero
- ❖ 1/4 cucchiaino di cannella
- ❖ un pizzico di chiodi di garofano macinati

ISTRUZIONI

1. Lavare i cachi e tagliare il gambo. Aggiungili insieme a tutti gli altri ingredienti in un frullatore ad alta potenza e frulla per un minuto.

2. Facoltativamente, guarnire l'interno di un bicchiere con una fetta sottile di cachi.

24. FRULLATO DI BARBABIETOLA DORATA, CAROTA E CURCUMA

INGREDIENTI

- ❖ 2 barbabietole dorate, tritate
- ❖ 1 carota grande, tritata
- ❖ 1 banana, sbucciata, affettata e congelata
- ❖ 4 mandarini, sbucciati
- ❖ 1 limone, spremuto
- ❖ 1/4 cucchiaino di curcuma in polvere
- ❖ 1 tazza e mezzo di acqua fredda

RABBOCCO OPZIONALE

- ❖ carota grattugiata
- ❖ semi di canapa

ISTRUZIONI

1. Aggiungi tutti gli ingredienti in un frullatore ad alta potenza e frulla fino a che liscio.

2. Versare nei bicchieri e aggiungere eventuali condimenti opzionali

25. FRULLATO AL COLLAGENE AL CIOCCOLATO

INGREDIENTI

- ❖ 2 tazze di latte di cocco o altro latte
- ❖ 1 banana congelata
- ❖ 2 cucchiai di burro di mandorle
- ❖ 1/4 tazza di cacao crudo in polvere
- ❖ 2 misurini o più peptidi di collagene di proteine vitali

ISTRUZIONI

1. Aggiungi tutti gli ingredienti a un frullatore ad alta potenza e frulla fino a che liscio.

26.ASHEW DATE SHAKE (VEGAN, PALEO)

INGREDIENTI

- ❖ 2/3 di tazza di anacardi crudi, messi a bagno per 2-4 ore

- ❖ 6 datteri Medjool, snocciolati e lasciati in ammollo per 10 minuti

- ❖ 1 banana, affettata e congelata

- ❖ 3/4 di tazza d'acqua

- ❖ 2 tazze di ghiaccio

- ❖ 1 cucchiaino di estratto di vaniglia

- ❖ 1/4 cucchiaino di noce moscata

- ❖ pizzico di cannella

- ❖ un pizzico di sale

ISTRUZIONI

1. Una volta che gli anacardi e i datteri sono stati inzuppati e scolati, aggiungili a un frullatore ad alta potenza. Aggiungere gli ingredienti rimanenti e frullare a fuoco alto fino a ottenere un composto denso e cremoso.

27 CIOTOLA PER FRULLATO AL CILIEGIO SCURO

INGREDIENTI

- ❖ coppe ciliegie surgelate, snocciolate
- ❖ 1 banana
- ❖ 1/2 tazza di acqua di cocco

RABBOCCO OPZIONALE

- ❖ ciliegie intere
- ❖ fiocchi di cocco
- ❖ mandorle affettate
- ❖ granella di cacao crudo

ISTRUZIONI

1. Aggiungi le ciliegie congelate, la banana e l'acqua di cocco in un frullatore ad alta potenza. Frulla fino a ottenere un composto omogeneo.

2. Versare il composto di frullato in una ciotola e aggiungere i condimenti.

28.PITAYA SMOOTHIE BOWL

INGREDIENTI

- ❖ 2 confezioni Pitaya Plus
- ❖ 1 banana
- ❖ 4 fragole
- ❖ 3/4 tazza di acqua di cocco

GUARNIZIONI OPZIONALI

- ❖ fragole
- ❖ kiwi
- ❖ anacardi
- ❖ Noce di cocco

ISTRUZIONI

1. Aggiungere la pitaya congelata, la banana, le fragole e l'acqua di cocco in un frullatore ad alta potenza. Frulla in alto per un minuto, finché non è ben amalgamato.

2. Versa il frullato di pitaya in una ciotola e aggiungi i condimenti.

29.HEALTHY CACAO, BANANA, PB SMOOTHIE

INGREDIENTI

- ❖ 1 tazza di latte
- ❖ ½ banana congelata tritata, o più a piacere
- ❖ 2 cucchiai di burro di arachidi
- ❖ 2 cucchiaini di cacao amaro in polvere
- ❖ 1 cucchiaino di miele

ISTRUZIONE

1. Mescola latte, banana, burro di arachidi, cacao in polvere e miele insieme in un frullatore fino a ottenere un composto omogeneo.

30 LATTE ALLA CURCUMA

INGREDIENTI

- ❖ 1 tazza di latte di mandorle non zuccherato o bevanda al latte di cocco
- ❖ 1 cucchiaio di curcuma fresca grattugiata
- ❖ 2 cucchiaini di sciroppo d'acero puro o miele
- ❖ 1 cucchiaino di zenzero fresco grattugiato
- ❖ Un pizzico di pepe macinato
- ❖ 1 pizzico di cannella in polvere per guarnire

ISTRUZIONI

1. Unisci latte, curcuma, sciroppo d'acero (o miele), zenzero e pepe in un frullatore. Frullare in alto fino a ottenere un composto omogeneo, circa 1 minuto. Versare in una piccola casseruola e scaldare a fuoco medio-alto fino a quando non è caldo ma non bollente. Trasferisci in una tazza. Guarnire con una spolverata di cannella, se lo si desidera.

31.FRULLATO DI FRUTTA E YOGURT

INGREDIENTI

- ❖ 3/4 di tazza di yogurt bianco senza grassi

- ❖ 1/2 tazza di succo di frutta puro al 100%

- ❖ 1 1/2 tazze (6 1/2 once) di frutta congelata, come mirtilli, lamponi, ananas o pesche

ISTRUZIONI

1. Frullare lo yogurt con il succo in un frullatore fino a ottenere un composto omogeneo. Con il motore acceso, aggiungi la frutta attraverso il foro nel coperchio e continua a frullare fino a che liscio.

32.UNICORN SMOOTHIE

INGREDIENTI

- ❖ 1 ½ tazze di latte magro, divise
- ❖ 1 ½ tazze di yogurt alla vaniglia magro, divise
- ❖ 3 grandi banane, divise
- ❖ 1 tazza di more o mirtilli congelati
- ❖ 1 tazza di pezzi di mango congelati
- ❖ 1 tazza di lamponi o fragole congelati
- ❖ Star fruit, kiwi, frutti di bosco misti e semi di chia per guarnire

ISTRUZIONE

1. Unisci 1/2 tazza di latte e yogurt, 1 banana e more (o mirtilli) in un frullatore. Frulla fino a ottenere un composto omogeneo. Dividete il composto in 4 bicchieri grandi. Metti in freezer. Risciacqua il frullatore.

2. Unisci 1/2 tazza di latte e yogurt, 1 banana e pezzi di mango nel frullatore. Frulla fino a ottenere un composto omogeneo. Dividi il composto sullo strato viola nei bicchieri. Rimetti i bicchieri nel congelatore. Risciacqua il frullatore.

3. Unisci la rimanente 1/2 tazza di latte e yogurt, la restante banana e lamponi (o fragole) nel frullatore. Frulla fino a ottenere un composto

omogeneo. Dividere il composto sullo strato giallo dei bicchieri. Passa uno spiedino lungo i bordi per far roteare leggermente gli strati.

4. Se lo si desidera, disporre le fette di carambola, le fette di kiwi e le bacche su 4 spiedini di legno per guarnire ogni bicchiere. Cospargere con semi di chia, se lo si desidera.

33. SMOOTHIE PROTEICO AL CIOCCOLATO E BANANA

INGREDIENTI

- ❖ 1 banana, congelata
- ❖ ½ tazza di lenticchie rosse cotte
- ❖ ½ tazza di latte scremato
- ❖ 2 cucchiaini di cacao amaro in polvere
- ❖ 1 cucchiaino di sciroppo d'acero puro

INDICAZIONI

1. Unisci banana, lenticchie, latte, cacao e sciroppo in un frullatore.

2. Frullare fino a che liscio.

34 FRULLATO PER LA COLAZIONE CREMOSO

INGREDIENTI

- ❖ 1 tazza di acqua di cocco pura fredda, senza zuccheri aggiunti o aromi (vedi suggerimento)

- ❖ 1 tazza di yogurt greco alla vaniglia senza grassi

- ❖ 1 tazza di pezzi di mango congelati o freschi

- ❖ 3 cucchiai di succo d'arancia concentrato congelato

- ❖ 2 tazze di ghiaccio

INDICAZIONI

1. Mescola acqua di cocco, yogurt, mango, concentrato di succo d'arancia e ghiaccio in un frullatore fino a che liscio.

35 FRULLATO DI FRUTTI DI BOSCO E COCCO

INGREDIENTI

- ❖ ½ tazza di lenticchie rosse cotte (vedi Suggerimenti), raffreddate

- ❖ ¾ tazza di bevanda al latte di cocco alla vaniglia non zuccherata

- ❖ ½ tazza di frutti di bosco congelati

- ❖ ½ tazza di banana affettata congelata

- ❖ 1 cucchiaio di cocco grattugiato non zuccherato, più una quantità per guarnire

- ❖ 1 cucchiaino di miele

- ❖ 3 cubetti di ghiaccio

INDICAZIONI

1. Mettere le lenticchie, il latte di cocco, i frutti di bosco, la banana, il cocco, il miele e i cubetti di ghiaccio in un frullatore. Frulla in alto fino a ottenere un composto omogeneo, 2-3 minuti. Guarnire con altra noce di cocco, se lo si desidera.

36. FRULLATO DI CAROTE

INGREDIENTI

❖ 1 tazza di carote affettate

❖ ½ cucchiaino di scorza d'arancia finemente sminuzzata

❖ 1 tazza di succo d'arancia

❖ 1 ½ coppe cubetti di ghiaccio

❖ 3 pezzi (1 pollice) riccioli di buccia d'arancia

INDICAZIONI

1. In una piccola casseruola coperta, cuocere le carote in una piccola quantità di acqua bollente per circa 15 minuti o fino a quando sono molto tenere. Scolare bene. Freddo.

2. Mettere le carote scolate in un frullatore. Aggiungere la scorza d'arancia finemente sminuzzata e il succo d'arancia. Coprite e frullate fino ad ottenere un composto omogeneo. Aggiungi cubetti di ghiaccio; coprire e frullare fino a che liscio. Versare nei bicchieri. Se lo si desidera, guarnire con riccioli di buccia d'arancia.

37. CIOTOLA PER FRULLATO DI MELATA

INGREDIENTI

- ❖ 4 tazze di melata congelata a cubetti (pezzi da 1/2 pollice)

- ❖ ½ tazza di bevanda al latte di cocco non zuccherata

- ❖ ⅓ tazza di succo verde, come l'erba di grano

- ❖ 1 cucchiaio di miele

- ❖ Pizzico di sale

- ❖ Palline di melone, frutti di bosco, noci e / o basilico fresco per guarnire

ISTRUZIONI

1. Unisci la melata, il latte di cocco, il succo, il miele e il sale in un robot da cucina o in un frullatore ad alta velocità. Alterna tra pulsazioni e frullate, fermandoti per mescolare e raschiare i lati secondo necessità, fino a quando non diventa denso e liscio, da 1 a 2 minuti. Servire il frullato condito con altro melone, frutti di bosco, noci e / o basilico, se lo si desidera.

38. FRULLATO DI BURRO D'ARACHIDI E GELATINA

INGREDIENTI

- ❖ ½ tazza di latte magro

- ❖ ⅓ tazza di yogurt greco senza grassi

- ❖ 1 tazza di spinaci baby

- ❖ 1 tazza di fette di banana congelate (circa 1 banana media)

- ❖ ½ tazza di fragole congelate

- ❖ 1 cucchiaio di burro di arachidi naturale

- ❖ 1-2 cucchiaini di sciroppo d'acero puro o miele (facoltativo)

ISTRUZIONI

1. Aggiungere il latte e lo yogurt in un frullatore, quindi aggiungere gli spinaci, la banana, le fragole, il burro di arachidi e il dolcificante (se utilizzato); frullare fino a che liscio.

39 CIOTOLA PER FRULLATO AL MELONE

INGREDIENTI

- ❖ 4 tazze di melone congelato a cubetti (pezzi da 1/2 pollice)

- ❖ ¾ tazza di succo di carota

- ❖ Pizzico di sale

- ❖ Palline di melone, frutti di bosco, noci e / o basilico fresco per guarnire

ISTRUZIONI

1. Unisci il melone, il succo e il sale in un robot da cucina o in un frullatore ad alta velocità. Alterna tra pulsazioni e frullate, fermandoti per mescolare e raschiare i lati secondo necessità, fino a quando non diventa denso e liscio, da 1 a 2 minuti. Servire il frullato condito con altro melone, frutti di bosco, noci e / o basilico, se lo si desidera.

40. FRULLATO DI AVOCADO VERDE DI JASON MRAZ

INGREDIENTI

- ❖ 1 ¼ tazze di latte di mandorle non zuccherato freddo o bevanda al latte di cocco

- ❖ 1 avocado maturo

- ❖ 1 banana matura

- ❖ 1 mela dolce, come Honeycrisp, a fette

- ❖ ½ gambo di sedano grande o 1 piccolo, tritato

- ❖ 2 tazze di foglie di cavolo o spinaci leggermente confezionate

- ❖ 1 pezzo di zenzero fresco sbucciato da 1 pollice

- ❖ 8 cubetti di ghiaccio

ISTRUZIONI

1. Mescola bevanda a base di latte, avocado, banana, mela, sedano, cavolo (o spinaci), zenzero e ghiaccio in un frullatore fino a ottenere un composto omogeneo.

41.TOFU TROPIC SMOOTHIE

INGREDIENTI

- ❖ 2 tazze di mango congelato a cubetti
- ❖ 1 ½ tazze di succo d'ananas
- ❖ ¾ tazza di tofu vellutato
- ❖ ¼ di tazza di succo di lime
- ❖ 1 cucchiaino di scorza di lime grattugiata fresca

ISTRUZIONI

1. Unisci il mango, il succo d'ananas, il tofu, il succo di lime e la scorza di lime in un frullatore; frullare fino a che liscio. Servite subito.

42 BUON FRULLATO DI TÈ VERDE

INGREDIENTI

❖ 3 tazze di uva bianca congelata

❖ 2 tazze confezionate di spinaci baby

❖ 1 tazza e mezzo di tè verde preparato forte (vedi suggerimento), raffreddato

❖ 1 avocado medio maturo

❖ 2 cucchiaini di miele

ISTRUZIONI

1. Unisci uva, spinaci, tè verde, avocado e miele in un frullatore; frullare fino a che liscio. Servite subito.

43. FRULLATO DI LINO ARANCIONE

INGREDIENTI

- ❖ 2 tazze di fette di pesca congelate

- ❖ 1 tazza di succo di carota

- ❖ 1 tazza di succo d'arancia

- ❖ 2 cucchiai di semi di lino macinati (vedi suggerimento)

- ❖ 1 cucchiaio di zenzero fresco tritato

ISTRUZIONI

1. Unire le pesche, il succo di carota, il succo d'arancia, i semi di lino e lo zenzero nel frullatore; frullare fino a che liscio. Servite subito.

44. CIOTOLA PER FRULLATO SIRENA

INGREDIENTI

- ❖ 2 banane congelate, sbucciate

- ❖ 2 kiwi, sbucciati

- ❖ 1 tazza di ananas fresco a pezzi

- ❖ 1 tazza di latte di mandorle non zuccherato

- ❖ 2 cucchiaini di spirulina blu in polvere

- ❖ ½ tazza di mirtilli freschi

- ❖ ½ mela Fuji piccola, affettata sottilmente e tagliata a forma di fiore da 1 pollice

ISTRUZIONI

1. Unisci banane, kiwi, ananas, latte di mandorle e spirulina in un frullatore. Frulla in alto fino a che liscio, circa 2 minuti.

2. Dividi il frullato in 2 ciotole. Completare con mirtilli e mele.

45 CIOTOLA PER FRULLATO VERDE MANDORLE E MATCHA

INGREDIENTI

- ❖ ½ tazza di banana affettata congelata
- ❖ ½ tazza di pesche a fette congelate
- ❖ 1 tazza di spinaci freschi
- ❖ ½ tazza di latte di mandorle non zuccherato
- ❖ 5 cucchiai di mandorle a scaglie, divise
- ❖ 1 ½ cucchiaini di tè matcha in polvere
- ❖ 1 cucchiaino di sciroppo d'acero
- ❖ ½ kiwi maturo, tagliato a dadini

ISTRUZIONI

1. Mescola banana, pesche, spinaci, latte di mandorle, 3 cucchiai di mandorle, matcha e sciroppo d'acero in un frullatore fino a ottenere un composto omogeneo.

2. Versare il frullato in una ciotola e guarnire con il kiwi e i 2 cucchiai rimanenti di mandorle a lamelle.

46.UNICORN SMOOTHIE

INGREDIENTI

❖ 1 ½ tazze di latte magro, divise

❖ 1 ½ tazze di yogurt alla vaniglia magro, divise

❖ 3 grandi banane, divise

❖ 1 tazza di more o mirtilli congelati

❖ 1 tazza di pezzi di mango congelati

❖ 1 tazza di lamponi o fragole congelati

❖ Star fruit, kiwi, frutti di bosco misti e semi di chia per guarnire

ISTRUZIONI

1. Unisci 1/2 tazza di latte e yogurt, 1 banana e more (o mirtilli) in un frullatore. Frulla fino a ottenere un composto omogeneo. Dividete il composto in 4 bicchieri grandi. Metti in freezer. Risciacqua il frullatore.

2. Unisci 1/2 tazza di latte e yogurt, 1 banana e pezzi di mango nel frullatore. Frulla fino a ottenere un composto omogeneo. Dividi il composto sullo strato viola nei bicchieri. Rimetti i bicchieri nel congelatore. Risciacqua il frullatore.

3. Unisci la rimanente 1/2 tazza di latte e yogurt, la restante banana e lamponi (o fragole) nel frullatore. Frulla fino a ottenere un composto

omogeneo. Dividere il composto sullo strato giallo dei bicchieri. Passa uno spiedino lungo i bordi per far roteare leggermente gli strati.

4. Se lo si desidera, disporre le fette di carambola, le fette di kiwi e le bacche su 4 spiedini di legno per guarnire ogni bicchiere. Cospargere con semi di chia, se lo si desidera.

47 FRULLATO DI MELONE TRIPLO

INGREDIENTI

- ❖ ½ tazza di anguria tritata
- ❖ ½ tazza di melone maturo tritato
- ❖ ½ tazza di melone di melata maturo tritato
- ❖ ¼ di tazza di avocado a dadini
- ❖ 6 cubetti di ghiaccio
- ❖ Spremere il succo di lime

ISTRUZIONI

1. Unisci anguria, melone, melata, avocado, ghiaccio e succo di lime in un frullatore. Frullare fino a che liscio.

48 FRULLATO DI AGRUMI

INGREDIENTI

- ❖ 1 ¼ tazze di bacche fresche

- ❖ ¾ tazza di yogurt bianco magro

- ❖ ½ tazza di succo d'arancia

- ❖ 2 cucchiai di latte in polvere scremato

- ❖ 1 cucchiaio di germe di grano tostato

- ❖ 1 cucchiaio di miele

- ❖ ½ cucchiaino di estratto di vaniglia

ISTRUZIONI

1. Mettere i frutti di bosco, lo yogurt, il succo d'arancia, il latte in polvere, il germe di grano, il miele e la vaniglia in un frullatore e frullare fino a ottenere un composto omogeneo.

49. SMOOTHIE ANGURIA E CURCUMA

INGREDIENTI

- ❖ 4 tazze di anguria a pezzi, senza semi
- ❖ ½ tazza di acqua
- ❖ 3 cucchiai di succo di limone
- ❖ 3 cucchiai di zenzero fresco sbucciato grossolanamente
- ❖ 3 cucchiai di curcuma fresca sbucciata grossolanamente (vedi suggerimento) o 1 cucchiaino macinato
- ❖ 4 cucchiaini di miele
- ❖ 1 cucchiaino di olio extravergine di cocco
- ❖ Pepe macinato

ISTRUZIONI

1. Unisci anguria, acqua, succo di limone, zenzero, curcuma, miele, olio e pepe in un frullatore. Frullare fino a che liscio, circa 1 minuto.

50 FRULLATO DAVVERO VERDE

INGREDIENTI

- ❖ 1 banana matura grande

- ❖ 1 tazza di cavolo riccio confezionato o cavolo nero maturo tritato grossolanamente

- ❖ 1 tazza di latte di mandorle alla vaniglia non zuccherato

- ❖ ¼ di avocado maturo

- ❖ 1 cucchiaio di semi di chia

- ❖ 2 cucchiaini di miele

- ❖ 1 tazza di cubetti di ghiaccio

ISTRUZIONI

1. Unisci banana, cavolo riccio, latte di mandorle, avocado, semi di chia e miele in un frullatore. Frulla in alto fino a ottenere un composto cremoso e omogeneo. Aggiungere il ghiaccio e frullare fino a che liscio.

CONCLUSIONE

Se stai cercando un modo per aggiungere un po 'di nutrimento alla tua dieta quotidiana o stai cercando di saperne di più sui frullati per iniziare la tua prima pulizia, ora hai alcune eccellenti ricette e suggerimenti per iniziare. Ricorda, però, di usarlo come guida generale. Una volta che hai imparato a mescolare i sapori, sentiti libero di creare le tue miscele in base ai tuoi gusti e ai tuoi obiettivi di salute.

Lightning Source UK Ltd.
Milton Keynes UK
UKHW020657140521
383710UK00001B/55

9 781802 881373